MARIE-ANNE HAMEAU

Je lis, tu lis...

Le français pour les petits

MÉTHODE DE LECTURE ET DE LANGAGE

1

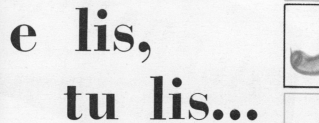

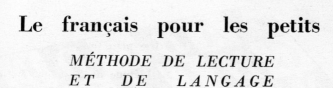

LIBRAIRIE HACHETTE
79, boulevard Saint-Germain, Paris VIe

ISBN 2-01-003087-7

© *Librairie Hachette*, 1960.

Aa Bb Cc
Dd Ee Ff
Gg Hh Ii
Jj Kk Ll
Mm Nn Oo
Pp Qq Rr
Ss Tt Uu
Vv Ww Xx
Yy Zz

LA À
un âne Â
une aile AI
AY
une paille AILLE
une main AIN
une lampe AM
un ange AN
une auto AU

5

E
Ë
É un dé
È une mère
È une tête
EÌ un bateau
EÎ treize 13
EÌL un soleil
EÏN
EM
EN trente 30
EU un feu
EUIL un écureuil
EUILLE une feuille
...ET
...ER
...EZ

6

i

ï

i

une fille

ILL

un indien

IN IEN

un timbre

un cahier

IER

IEU

U

un

1

huit

8

un album

UM

7

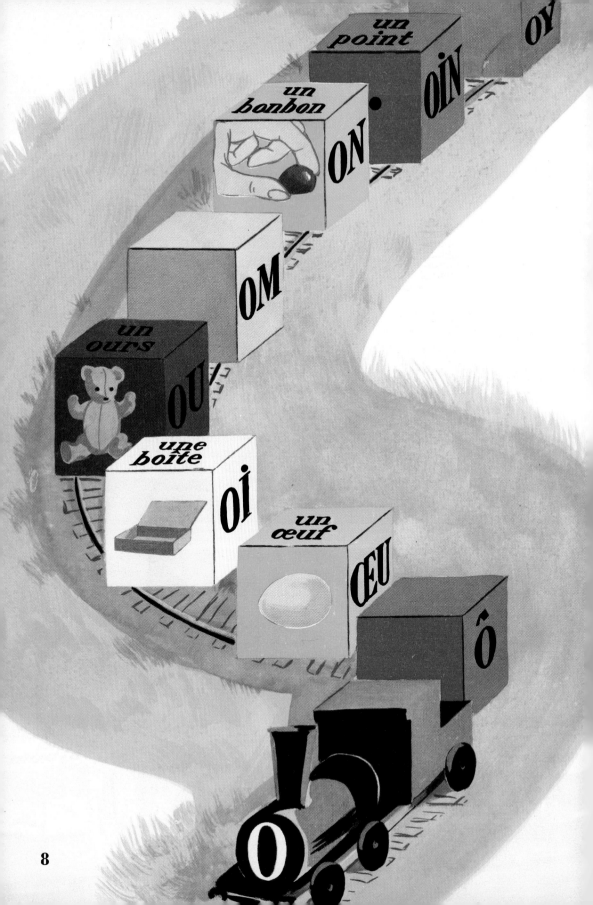

8

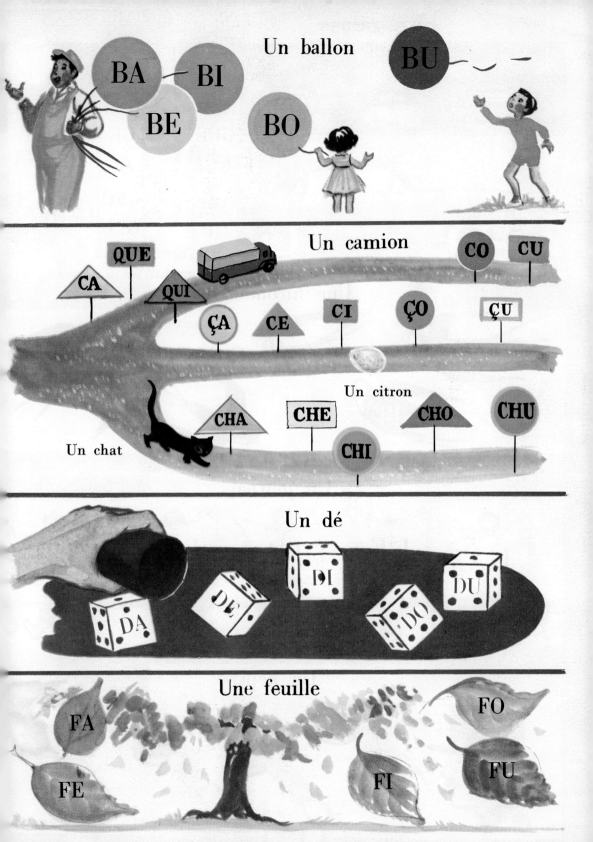

Un ballon

BA BI BE BO BU

Un camion

QUE CA QUI CO CU
ÇA CE CI ÇO ÇU

Un citron

Un chat

CHA CHE CHO CHU CHI

Un dé

DA DE DI DO DU

Une feuille

FA FE FI FO FU

9

Un garage

GA	GEA	GNA
GUE	GE	GNE
GUI	GI	GNI
GO	GEO	GNO
GU	GEU	GNU

Une hirondelle

HA HE HI HO HU

Un journal

JA JE JI JO JU

Un képi

KA KE KI KO KU

Un livre

LA

LE LI LO LU

Un mouchoir

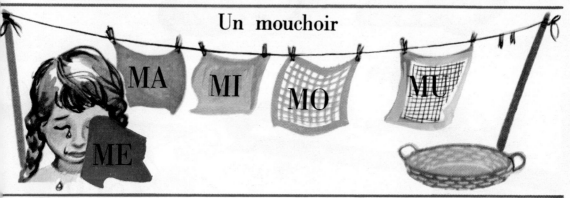

MA MI MO MU ME

Un nid

NA NE NI NO NU

Un papillon

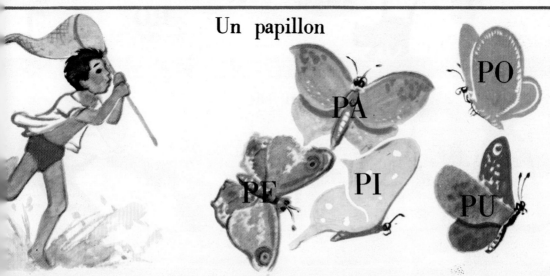

PA PO PE PI PU

Un phoque

PHE PHA PHI PHO PHU

Une quille

QUA QUE QUI QUO QU

Une robe

RA RE RI RO RU

Un sac

SA SE SI SO SU

Un tapis

TA TE TI TO TU

Une valise

VA VE VI VO VU

Un wagon

WA WE WI WO WU

Un zèbre

ZA ZE ZI ZO ZU

13

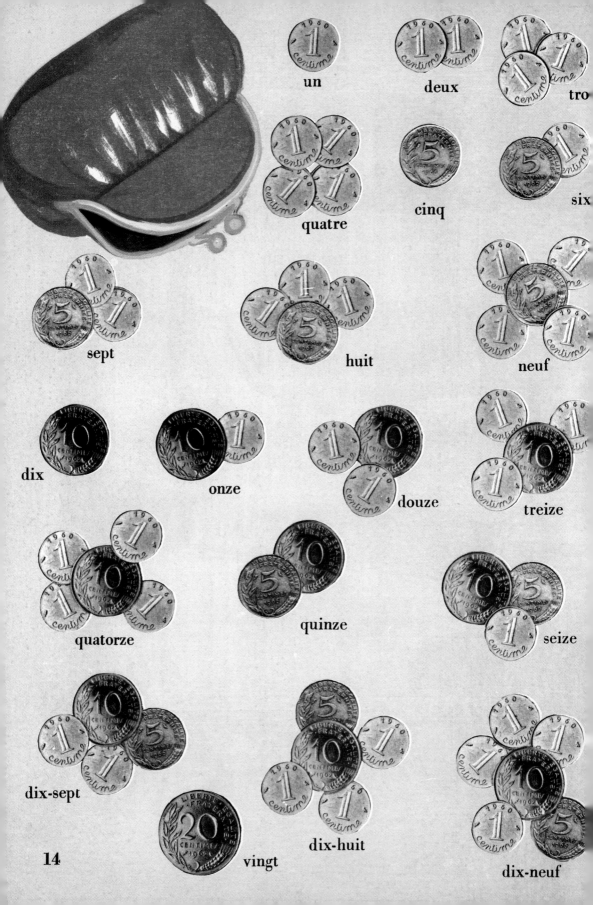

un

deux

tro

quatre

cinq

six

sept

huit

neuf

dix

onze

douze

treize

quatorze

quinze

seize

dix-sept

vingt

dix-huit

dix-neuf

14

vingt-et-un **21** vingt-deux **22** vingt-trois **23** vingt-quatre **24**

un gâteau

une fleur

un bouquet de fleurs

30 **31** **32**
trente   trente et un   trente-deux

une bicyclette

un cycliste

40   **41**   **42**
quarante   quarante et un   quarante-deux

une maison

50   **51**   **52**
cinquante   cinquante et un   cinquante-deux

un chien

60   **61**   **62**
soixante   soixante et un   soixante-deux

15

un cheval

un jockey

soixante-dix   soixante et onze   soixante-douze

une loterie   quatre-vingts   une poupée

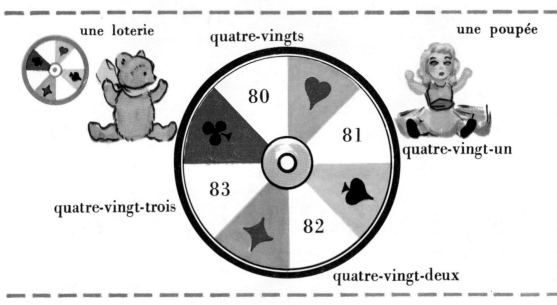

quatre-vingt-un

quatre-vingt-trois

quatre-vingt-deux

un autobus

quatre-vingt-dix   quatre-vingt-onze   quatre-vingt-douze

un timbre

cent

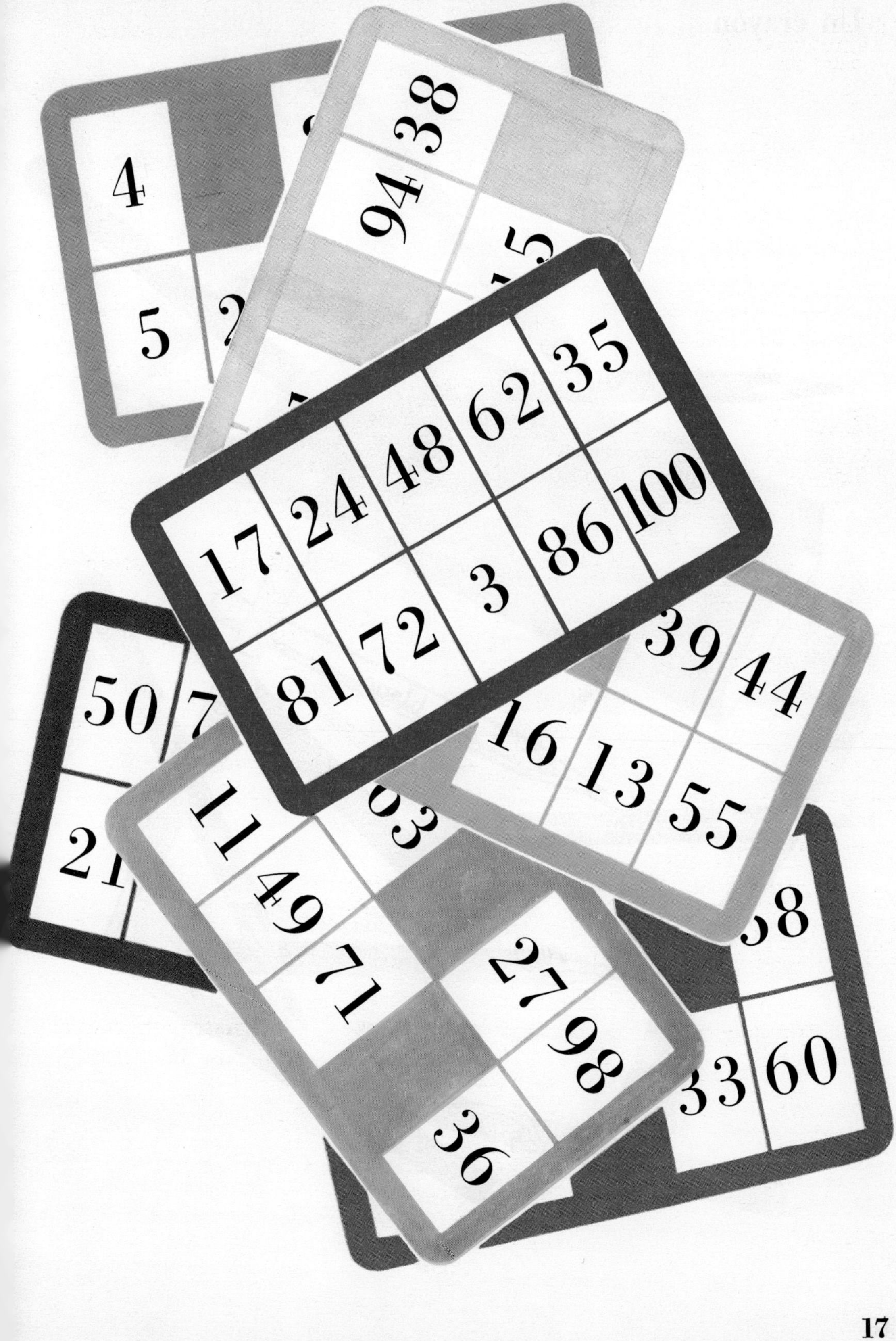
4
5
38
94
35
62
48
24
17
100
86
3
72
81
50
21
39
44
16
13
55
11
49
71
27
98
36
33
60

Un crayon

Une couleur

Voici **un** garçon.

Voici **un** ballon.

Voici **un** avion.

**Le garçon montre
le ballon rouge.**

**Le garçon montre
l'avion jaune.**

Voici **une** fille.

Voici **une** balle.

Voici **une** auto.

La fille montre la balle rouge.

La fille montre l'auto jaune.

Voici **des** garçons.

Voici **des** ballons.

Voici **des** avions.

Les garçons montrent **les** ballons rouges.

Les garçons montrent **les** avions jaunes.

Voici **des** filles.

Voici **des** balles.

Voici **des** autos.

Les filles montrent **les** balles rouges.

Les filles montrent **les** autos jaunes.

De quelle couleur est ?

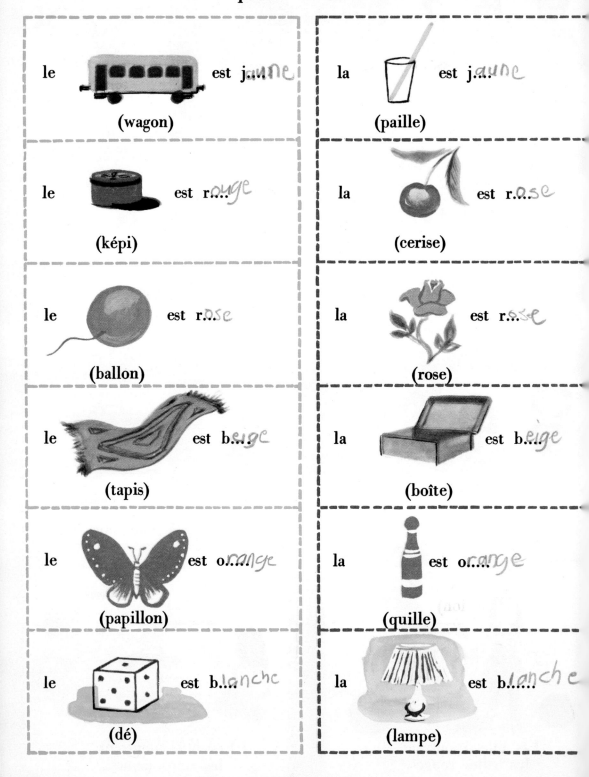

le _____ est jaune
(wagon)

la _____ est jaune
(paille)

le _____ est rouge
(képi)

la _____ est rose
(cerise)

le _____ est rose
(ballon)

la _____ est rose
(rose)

le _____ est beige
(tapis)

la _____ est beige
(boîte)

le _____ est orange
(papillon)

la _____ est orange
(quille)

le _____ est blanche
(dé)

la _____ est blanche
(lampe)

De quelle couleur est ?

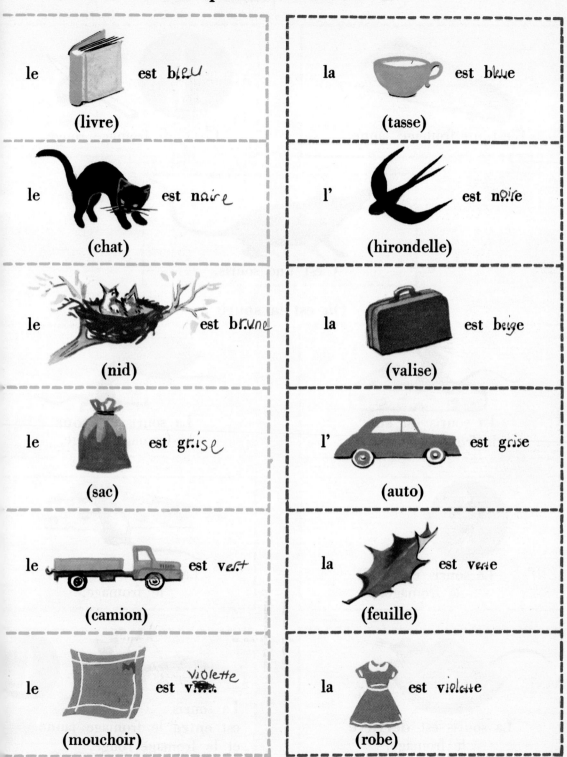

le   est bleu.

(livre)

la   est bleue

(tasse)

le   est noire

(chat)

l'   est noire

(hirondelle)

le   est brune

(nid)

la   est beige

(valise)

le   est grise

(sac)

l'   est grise

(auto)

le   est vert

(camion)

la   est verte

(feuille)

le   est violette

(mouchoir)

la   est violette

(robe)

Qu'est-ce que c'est ?

C'est un fromage jaune.

C'est un fromage rouge.

C'est une souris.

Où est la souris ?

La souris est **sur**
le fromage jaune.

La souris est **sous**
le fromage rouge.

La souris est **dans**
le fromage.

La souris est **devant**
le fromage.

La souris est **derrière**
le fromage.

La souris
est **entre** le fromage jaune
et le fromage rouge.

24

Où est...?

Le chat est .*derrce*. la valise.

L'ours est *dans* la boîte.

Le papillon est .*sur*. la fleur.

Le garçon est *devant*. le chien.

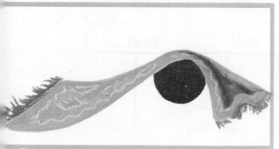

Le ballon est *sous* le tapis.

La fille est *sur*. l'âne.

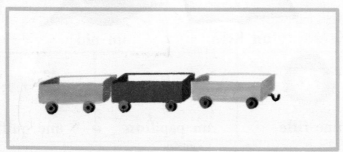

Le wagon rouge est *entre* le wagon
vert et le wagon bleu.

un **camion**	un **chat**	un **tapis**	un **wagon**
un **âne**	un **gâteau**	une **tasse**	un **vase**
	un **dé**	un **cahier**	

une **mère**	**7** sept	une **tête**	**16** seize	**13** treize	une **aile**	un **crayon**

une **fleur**	un **œuf**	**9** neuf

2 deux	un **feu**

une **hirondelle**	un **livre**	un **nid**	un **tapis**

une **fille**	un **papillon**	une **quille**

une **paille**	un **soleil**	un **écureuil**	une **feuille**	un **œil**

une **p**omme

une robe

une **ro**se

une **auto**

un tableau

un **ours**

12

douze

une **sou**ris

rouge

une **lune**

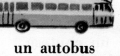
un autobus

un franc

une **lampe**

30

trente

40

quarante

11

onze

un ball**on**

un b**on**b**on**

un gar**çon**

5

cinq

une main

un **timbre**

1

un

brun

une
boîte

3

trois

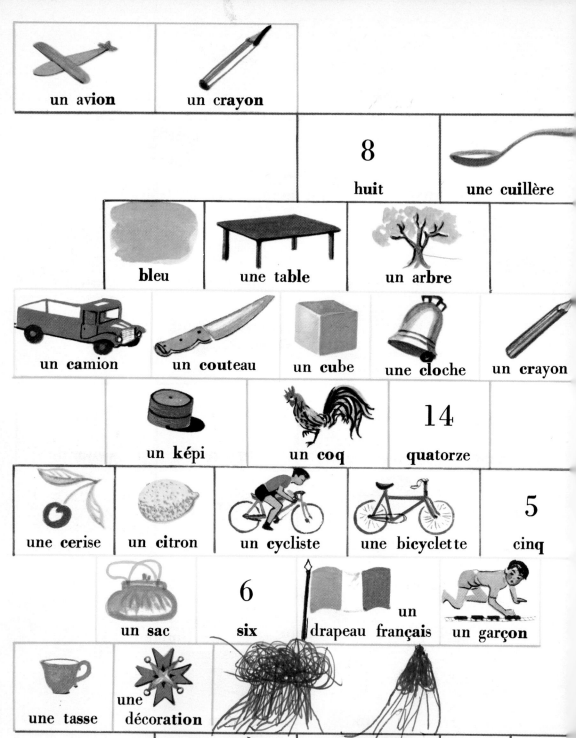

un av**ion**

un **cr**a**yon**

8

huit

une **cuillère**

bleu

une **table**

un **arbre**

un **camion**

un **couteau**

un **cube**

une **cloche**

un **crayon**

un **képi**

un **coq**

14

quatorze

une **cerise**

un **citron**

un **cycliste**

une **bicyclette**

5

cinq

un **sac**

6

six

un **drapeau français**

un **garçon**

une **tasse**

une **décoration**

un **zèbre**

une **maison**

une **rose**

un **vas**

un **chat**

 un **chien**

un **cheval**

 un **mouchoir**

 un **garçon**

 une **glace**

gris

 un **garage**

 une **girafe**

jaune

 un **journal**

 une **cigogne**

 un **peigne**

 une **fille**

 une **fleur**

 un **franc**

 un **photographe**

 une **valise**

 un **wagon**

 un **livre**

 un **train**

y = ii	si (x)^{ss}	
un crayon	six livres	
un crai-ion	si (x)^{z} oranges	

29

a   â   ain   ai

am   an   au

Voici :

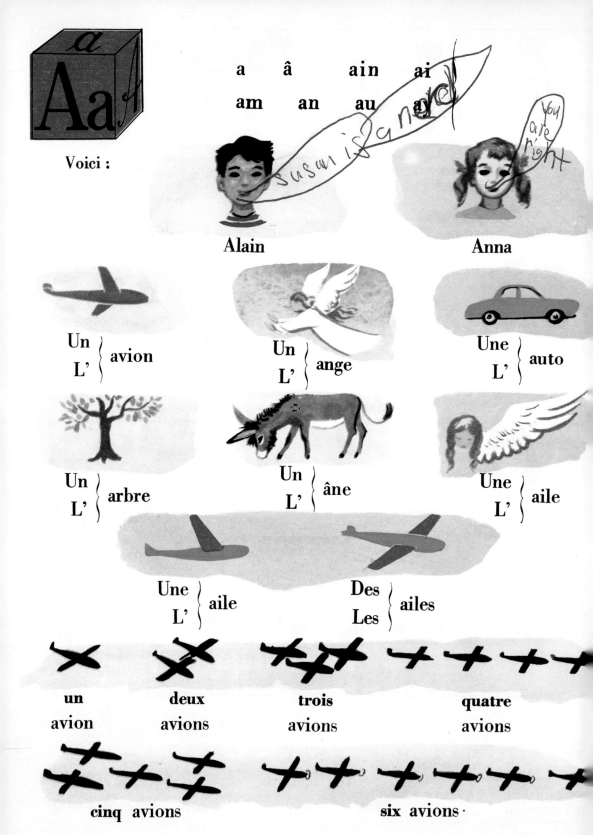

Alain   Anna

Un
L' } avion

Un
L' } ange

Une
L' } auto

Un
L' } arbre

Un
L' } âne

Une
L' } aile

Une
L' } aile

Des
Les } ailes

un
avion

deux
avions

trois
avions

quatre
avions

cinq avions

six avions

30

Alain a une auto
et un avion.

L'ange a deux
ailes.

L'avion aussi
a deux ailes.

Anna a un âne.

Anna attache l'âne
à un arbre.

Bob

Béatrice

Un
Le } bébé

Un
Le } bateau

Un
Le } bâton

Un
Le } ballon

Une
La } boîte

Un
Le } bonbon

Le banc bleu

Le banc brun

La bicyclette
beige

Le banc blanc

Le bébé a un ballon.
Le ballon est bleu.

La bicyclette
est beige.

Le banc est brun.
La boîte est sur
le banc brun.

Bob a un bateau
et un bâton.

Le bateau est bleu.
Le bâton est blanc.

Avec le bâton blanc,
Bob pousse le
bateau bleu.

Le bonbon est dans
la boîte.

Béatrice prend
le bonbon.

Béatrice mange
le bonbon.

33

Qui a une auto et un avion ?

_ ..... a une auto et un avion.

Qui a deux ailes ?_ .'.... a deux ailes.

Qu'est-ce qui a aussi deux ailes ?

_ .'..... a aussi deux .....

Qui a un âne ?..... a un âne.

Qui attache l'âne à un arbre ?

_ .... attache .'... à un .....

Qui a un bateau ?   – ... a un bateau.

Qui a un bâton ?   – ... a un .....

Qui prend le bonbon ?   –........ prend le bonbon.

Qui mange le bonbon ? –........ mange le ......

Que prend Béatrice ?   –Béatrice prend un ......

Que mange Béatrice ?   –Béatrice mange le ......

Que pousse Bob ?   – Bob pousse le ......

Où est la boîte ?   –La boîte est ...le ....

Où est le bonbon ?   –Le bonbon est ....la .....

De quelle couleur est ?

C c

ca   co   cu   ce   ci

Colette   Claude   Cécile

le camion   le cahier

la confiture

le couteau

le coq

la cuillère   le crayon   la cerise   le citron

Le cube est
dans la boîte.

Les cubes sont
dans la boîte.

Colette a un cahier
et un crayon.

Colette dessine un coq
dans le cahier.

Colette dessine dans le cahier.
Colette dessine avec le crayon.

Claude a une cuillère.

Avec la cuillère, Claude mange
la confiture de cerises.

Cécile a un couteau.

Avec le couteau, Cécile coupe
le citron.

Le camion est rouge.

Qui dessine dans le cahier ?
_ .... dessine dans le cahier.

Qui mange la confiture ?
_ .... mange la confiture.

Qui coupe le citron ?
_ .... coupe le citron.

Colette dessine un avec un ......

Claude mange la 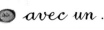 avec une ....

Cécile coupe le 🍋 avec un ....

Que dessine Colette ?_ Colette dessine un ...

Où dessine Colette ?_ Colette dessine dans un ......

De quelle couleur est le camion ?
_ Le camion est ....

De quelle couleur est le citron ?
_ Le citron est .....

De quelle couleur est la confiture ?
_ La confiture est .....

38

Voici des crayons bleus.

Ce crayon est court.
Ce crayon est long.

Voici des avions.

Cet avion est blanc.

Voici des chaussettes bleues.

Cette chaussette est courte.

Cette chaussette est longue.

Voici des autos.

Cette auto est blanche.

Voici des avions.

Ces avions sont blancs.

Voici des autos.

Ces autos sont blanches.

Charles dessine :

du chocolat

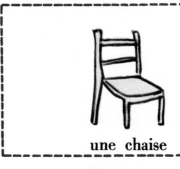

une chaise

un cochon

une cloche

un chien

une chaussure

un chat

une chaussette

Chantal dessine un cheval.

...arles a une chaussette courte
et une chaussette longue.

Cette cloche est en chocolat.

Le chien brun court.
Le chat blanc court aussi.

La chaussure blanche est
sous la chaise brune.

...e coq chante « cocorico ».

Les cinq cochons sont
dans ce camion bleu.

Denise

Didier

Daniel

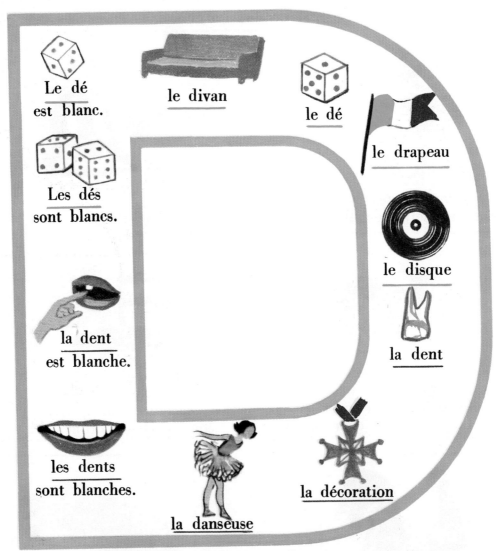

Le dé
est blanc.

le divan

le dé

le drapeau

Les dés
sont blancs.

le disque

la dent
est blanche.

la dent

les dents
sont blanches.

la danseuse

la décoration

7	8	9	10	11	12
sept	huit	neuf	dix	onze	douze

Denise a des dents.
Les dents de Denise
sont blanches.

Le drapeau français

est bleu, blanc, rouge.

Le chat dort sur le divan.

Le disque tourne,

la danseuse danse.

aniel donne deux dés à Didier.

Didier porte une décoration.

Daniel est devant Denise.
Didier est derrière Denise.
Denise est entre Daniel et Didier.

E e

é è ê   ei   en ein eau eu eui
           ey

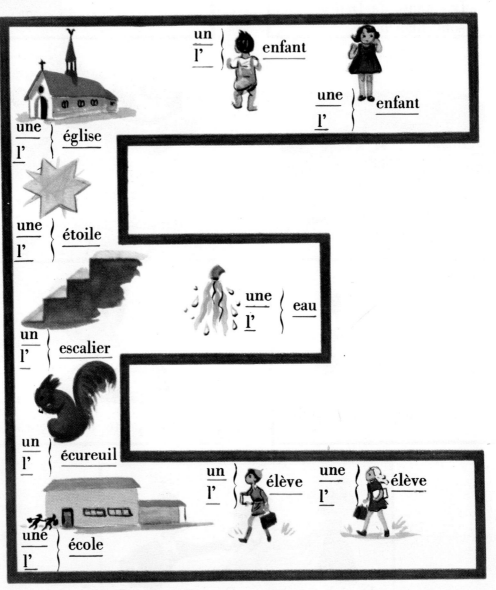

un / l' } enfant

une / l' } enfant

une / l' } église

une / l' } étoile

une / l' } eau

un / l' } escalier

un / l' } écureuil

un / l' } élève

une / l' } élève

une / l' } école

13	14	15	16	17	18	19	20
treize	quatorze	quinze	seize	dix-sept	dix-huit	dix-neuf	vingt

L'écureuil est dans l'arbre.

Le bateau est sur l'eau bleue.

Un élève écrit des ê
dans le cahier.

Une élève dessine une étoile
dans l'album.

Deux élèves montent et deux élèves
descendent l'escalier de l'école.

La cloche de l'église sonne.

Les enfants entrent dans l'église.

Qui a une chaussette longue et une chaussette courte ?
_ . . . . a une chaussette longue et une chaussette courte

Qui court ? _ . . . . court .

Qui chante «cocorico» ? _ . . . . . chante «cocorico»

Qu'est-ce qui est sur l'eau ? _ . . . . est sur l'eau .

Qui est dans l'arbre ? _ . ' . . . . est dans l'arbre .

Qui danse ? _ . . . . danse .

Qui dort sur le divan ?
_ . . . . . . dort sur le divan .

Qui donne deux dés à Didier ?
_ . . . . . . donne deux dés à Didier .

Qu'est-ce qui sonne ?
_ . . . . de l'église sonne .

Qu'est-ce qui tourne ?
_ . . . . tourne .

46

Où est la chaussure blanche ?
_ La chaussure blanche est .... la ......

Où est le bateau ?
_ Le bateau est ... l'...

Où sont les cochons ?
_ Les cochons sont .... le ......

Où entrent les enfants ?
_ Les enfants entrent dans l'......

Que chante le coq ?
_ Le coq chante ....

Que dessine une élève ?
_ Une élève dessine ... .

Qu'écrit un élève ?
_ Un élève écrit des .

De quelle couleur est le drapeau français ?
_ Le drapeau français est ...., ..., ...

De quelle couleur sont les dents de Denise ?
_ Les dents de Denise sont ....

En quoi est la cloche ?
_ La cloche est en ....

François

Fabienne

un fruit   des fruits

une fleur   des fleurs

un bouquet de fleurs

une feuille

un fauteuil

une fenêtre

un feu

une femme   une fille

François a froid.

François a chaud.

48

La femme ferme la fenêtre.

Le chien dort dans le fauteuil.

L'arbre a des feuilles vertes
et des fruits rouges.

François a froid.
François fait un feu.

Fabienne cueille des fleurs rouges,
bleues, jaunes, roses et blanches.

Les petites filles font des bouquets
de fleurs.

Gustave   Guy

Gustave est un grand garçon.
Guy est un petit garçon.

Georgette   Gisèle

Georgette est une grande fille.
Gisèle est une petite fille.

Gonzague est gros. Gabrielle est grosse.

Gérard est mince. Geneviève est mince

un garage

un gâteau

une glace

une girafe

une grenouille

une cigogne

un peigne

Georgette coupe le gros gâteau avec un grand couteau.

Le grand garçon achète une glace et donne deux francs.

L'auto beige entre dans le garage gris.

Geneviève a un peigne rouge.

La cigogne mange la grosse grenouille verte.

regardent la girafe.

De quelle couleur sont les feuilles ?
– Les feuilles sont ......

De quelle couleur sont les fleurs ?
– Les fleurs sont ......, ... et ......

Qui ferme la fenêtre ?
– La ...... ferme la fenêtre.

Qui fait du feu ?
– .... fait du feu.

Qui dort dans le fauteuil ?
– .. .. dort dans le fauteuil.

Qui mange la grenouille ?
– .. .. mange la grenouille.

Que coupe Georgette ?
– Georgette coupe le ......

Qu'achète le garçon ?
– Le garçon achète une ......

Que font les petites filles ?
– Les petites filles font des ....

Que regardent Guy et Gisèle ?
– Guy et Gisèle regardent la ......

Où entre l'auto grise ?
– L'auto grise entre dans le ......

Hélène

un
le } hérisson

une
l' } horloge

un
le } hibou

une
l' } herbe

un
l' } habit

une
l' } heure

un
l' } homme

une
l' } hirondelle

Le hibou est dans l'arbre = il y a   un hibou dans l'arbre.

Quatre hérissons sont dans l'herbe verte

=   il y a   quatre hérissons dans l'herbe verte.

Quelle heure est-il à l'horloge?
Il est une heure.

L'homme a un habit noir.

Hélène habille le bébé.

Huit hirondelles volent.

La petite hirondelle vole haut.

La grande hirondelle vole bas.

une maison haute.

une maison basse.

un Indien

un iris

une image

Ignace   Isidore   Irène   Isabelle

Ignace
Il   } a un Indien.

Ignace et Isidore
Ils   } ont des Indiens.

Irène
Elle   } a une image.

Irène et Isabelle
Elles   } ont des images.

Il y a des iris violets,
des iris jaunes et des iris blancs.

21	22	23	24	25 ...	30
vingt et un	vingt-deux	vingt-trois	vingt-quatre	vingt-cinq ...	trente

J j

Jean

le jardin

le journal

le jockey

Dans le jardin, il y a des arbres et des fleurs.

Juliette a une jupe et une jaquette jaunes.

Jean lit le journal.

Les enfants jouent avec les jouets.

Juliette

la jupe

la jaquette

La balle est un jouet.

La balle, l'ours, les cubes sont des jouets.

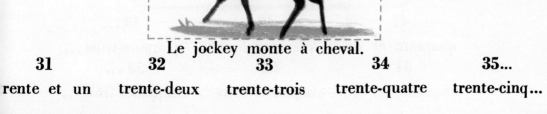

Le jockey monte à cheval.

31	32	33	34	35...
rente et un	trente-deux	trente-trois	trente-quatre	trente-cinq...

Le kangourou saute.

le kiosque

Dans le jardin, il y a un kiosque.

le kangouro

Le képi est rouge et bleu.

le kilo

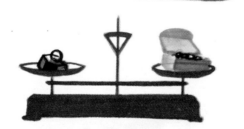

La boîte de bonbons pèse un kilo.

le képi

41	42	43...
quarante et un	quarante-deux	quarante-trois ...
51	52	53...
cinquante et un	cinquante-deux	cinquante-trois...

Quelle heure est-il à l'horloge ?_Il est ... .

De quelle couleur est l'habit ?_L'habit est ....

De quelle couleur est le képi ?_Le képi est .... et .....

De quelle couleur sont la jaquette et la jupe ?
_La jaquette et la jupe sont ......

Où y a-t-il des fleurs ?_Il y a des fleurs .... le ......
Qu'y a-t-il dans le jardin ?
_Il y a un ...... dans le jardin.

Où y a-t-il des hérissons ?
_Il y a des hérissons dans l'.....

Où y a-t-il un hibou ?
_Il y a un hibou .... l'.....

Qu'ont Isidore et Ignace ?_Ils ont des ....

Que lit Jean ?_ Jean lit le ....

Qu'ont Irène et Isabelle ?_ Elles ont des ......

Que fait le kangourou ?_ Le kangourou .....

Lionel

Lili

Louis

le livre

le loto

la lampe

les lunettes

le lit

le lait

la langue

la lune

Lili ⎰ a un lit blanc

Louis ⎱ a un lit blanc

son lit est blanc.

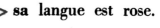

Lili ⎰ a une langue rose

Louis ⎱ a une langue rose

sa langue est rose.

Lili ⎰ a des lunettes rondes

Louis ⎱ a des lunettes rondes

ses lunettes sont rondes.

Le lit est lourd.

Le livre est léger.

La lampe est lourde.

Les lunettes sont légères.

Le bébé boit du lait.

La lune est ronde.
Elle brille.

Louis montre sa langue rose.

Avec sa langue, il lèche la cuillère
de confiture.

Lili est dans son lit blanc.
Elle a un livre.

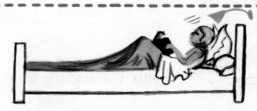

Elle lit son livre sous la lampe.

Lionel met ses lunettes rondes.

Avec ses lunettes, il lit et
il écrit dans son cahier.

Les enfants jouent avec un loto.

Michel

Marianne

un mouchoir

un mouton

un moulin

un meunier

une mère

une montre

une maison

une main

une mer

Les mains
de l'enfant.

Le mouton
de Michel

Le mouchoir
de Marianne

L'eau
de la mer.

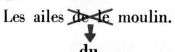
Les ailes de le moulin.
↓
du

La maison de les enfants
↓
des

61	62	63	70
soixante et un	soixante-deux	soixante-trois	soixante-dix

Sur le mouchoir de Marianne,
il y a un M.

L'eau de la mer est bleue.

La mère lave les mains
de l'enfant.

Les ailes du moulin tournent.
Le moulin du meunier
a quatre ailes.

Il est
midi.

Il est
minuit.

La montre fait : tic tac tic tac.
Elle montre midi ou minuit.

Michel montre la maison
des enfants avec sa main.

Les moutons mangent l'herbe verte.

N n

la neige

un nid

un arbre de Noël

une note

Nicolas

La neige blanche tombe sur la maison.

Nelly

Nelly regarde les notes noires. Elle chante : do ré mi fa sol la si do.

Nicolas nage dans la mer bleue.

Dans cet arbre, il y a neuf nids.

Sur l'arbre de Noël, il y a un ange, des albums d'images, des jouets, des bonbons, des drapeaux.

Qui boit du lait ?
— .. .... boit du lait.

Que mange le mouton ?
— Le mouton mange de l'.....

Que fait Lili ?
— Lili ...

Que fait Nicolas ?
— Nicolas ....

Que montre Michel ?
— Michel montre .. ..

Combien d'ailes a le moulin ?
— Le moulin a ....

Combien de nids y a-t-il dans l'arbre ?
— Il y a .... dans l'arbre.

Comment est la lune ?
— La lune est .....

Comment sont les lunettes ?
— Les lunettes sont ......

De quelle couleur est l'eau de la mer ?
— L'eau de la mer est .....

De quelle couleur est la neige ?
— La neige est ......

O o

o   oi   ou   on   oin

ô   oy   œ   om

un ours

un œuf

un œil

des yeux

une oie

une orange

un oiseau

Odile

Olivier

Ce gâteau est bon.

Ce gâteau est mauvais.

Cette orange est bonne.

Cette orange est mauvaise.

un oiseau   des oiseaux   un gâteau   des gâteaux

un bateau   des bateaux

Il est onze heures.
Le bébé dort avec
son ours.

L'orange est un bon fruit.
Odile choisit une orange.

Il y a trois petits œufs
dans le nid de cette
hirondelle.

Olivier
ouvre un œil rond.

L'oie, l'hirondelle et le
hibou sont des oiseaux.

Pp

Pierre

Paulette

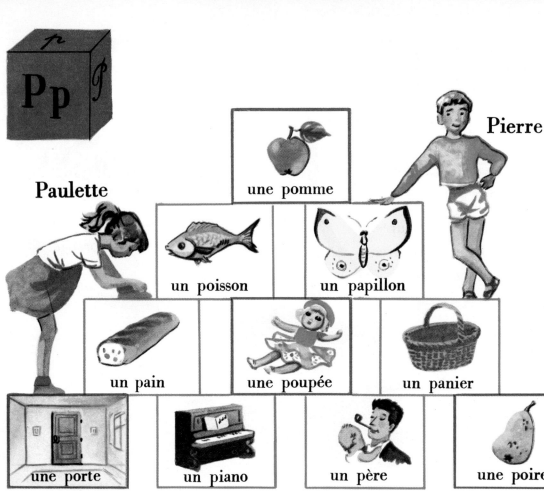

une pomme

un poisson   un papillon

un pain   une poupée   un panier

une porte   un piano   un père   une poire

C'est une belle poupée.

C'est une poupée laide.

C'est un beau garçon.

C'est un garçon laid.

C'est un bel enfant.

C'est un enfant laid.

Le chat regarde le poisson rouge.

Le papillon vole de fleur en fleur.

Le père du bébé est près du piano. Sa mère est près de la porte.

Dans ce panier, Pierre porte un pain, une pomme et une poire.

Paulette a une belle poupée.

Sa poupée marche.

Elle parle, elle dit : « Papa, maman. »

Philippe

Philomène

un phoque

un phare

un photographe

un appareil photographique

une photo

un phonograph

Les phoques nagent dans l'eau.
Ils jouent avec un gros ballon.

Avec son appareil photographique,
le photographe prend la photo
du phare.

Le disque du phonographe tourne.
Philippe et Philomène dansent.

71	72	73
soixante et onze	soixante-douze	soixante-treize
74	75	80
soixante-quatorze	soixante-quinze	quatre-vingts

Qui regarde le poisson rouge ?
— ….…. regarde le poisson rouge.

Qui est près du piano ?
— .. .…. est près du piano.

Qui nage dans l'eau ?
— … ……. nagent dans l'eau.

Avec quoi dort le bébé ?
— Le bébé dort avec … .…

Avec quoi jouent les phoques ?
— Les phoques jouent avec.. ……

Que porte Pierre dans ce panier ?
— Il porte ..…., .. … .. .…..

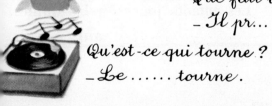

Que fait Odile ?
— Odile ..….. une ..….

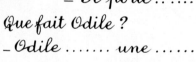

Que dit la poupée ?
— Elle dit .…., .…..

Que fait le photographe ?
— Il pr… .. .…. du..….

Qu'est-ce qui tourne ?
— Le …… tourne.

Que fait le papillon ?
— Il.… .. ..….. en .….

Combien d'œufs y a-t-il
dans le nid ?
— Il y a .…. .….

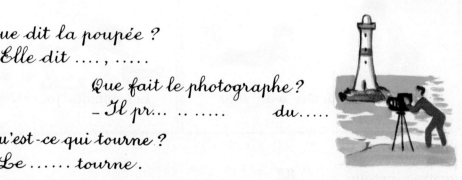

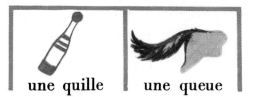

une quille | une queue

Quentin

Quentin a quatre quilles.

Le petit chat joue avec la queue du gros chien.

Quentin joue **à la** balle

Les enfants jouent à le loto.
au

Les enfants jouent à les quilles.
aux

81
quatre-vingt-un   **82**
          quatre-vingt-deux   **83**
. . . .   **93**   quatre-vingt-trois   **84**
          quatre-vingt-treize   **94**   quatre-vingt-quatre
          quatre-vingt-quatorze   **95**   . . . . .
          quatre-vingt-quinze
          . . . . .

R r

 Raymonde René Régine

 une rue | une roue | une robe | un ruban | une rose | une radio | une ronde

Dans la rue, il y a une auto rouge.
Elle roule sur des roues.

Régine a deux roses : une rose rose et une rose rouge.

René écoute la radio.

Les enfants chantent et ils dansent une ronde.

Raymonde porte une robe rose et un ruban rouge.

Cet album est carré.

Cette radio est carrée.

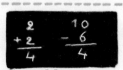

Ce tableau est rectangulaire.

Cette montre est rectangulaire.

Cet œil est rond.

Cette roue est ronde.

73

le soulier

le sable

le seau

la souris

Suzanne

Serge

le stylo

Sylvie

le soleil

le sac à main

Ce soulier est sale.

Ce soulier est propr

Serge et Suzanne ont un seau. **Leur** seau est rouge.

Serge et Suzanne ont seaux. **Leurs** seaux sont rouges.

Dans ce soulier, il y a une souris
avec une longue queue.

Serge met le sable jaune dans
le seau rouge.

Il est midi.
Le soleil brille.

Il est minuit.
La lune brille.

Sylvie ouvre son sac.

Elle sort son stylo bleu du sac.

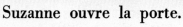

Suzanne ouvre la porte.

Elle sort.

T t

La table

La télévision

La tarte

La tulipe

Tony est triste.

Il pleure.

Thérèse est triste.

Elle pleure.

La tour

Le téléphone

Le train

Le tapis

Thomas est gai.

Il rit.

Toinette est gaie.

Elle rit.

Tony et Thérèse ont une tarte.
Leur tarte est belle et bonne.

Thomas et Toinette ont des tarte
Leurs tartes sont belles et bonne

76

La tarte aux cerises est un bon gâteau.

Toinette tient une belle tulipe rouge.

Sur la table, le téléphone sonne : drinn, drinn....

Tony joue sur le tapis avec son beau train électrique.

Thérèse regarde la télévision. Elle voit la tour Eiffel.
" Oh! la belle tour ", dit-elle.

Que fait Serge ?
— Serge... le ..... dans le ....

Que fait Thérèse ?
— Elle .... la ....

Que font les enfants ?
— Ils .... une .....

Avec quoi joue le chat ?
— Il joue avec .. ..
du .....

A quoi jouent les enfants ?
— Ils jouent ... .

Combien de quilles a Quentin ?
— Il a ...... quilles.

Combien de roues a l'auto ?
— Elle a ...... roues.

De quelle couleur sont les roses ?
— Elles sont ......, ..., ...

Où joue Tony ?
— Il joue sur .. ..

Où est la souris ?
— La souris est.... le soulier.

Comment est la roue ?
— Elle est .....

Comment est la montre ?
— Elle est ....

V v

Vincent

Valentine

Valérie

le village

le vase

la violette

la vache

le verre

le vin

la valise

un vieux vêtement

le(s) vêtement(s)

un vêtement neu

un vieil habit

un vêtement neu

un habit ne

une vieille poupée

une poupée neu

Cet homme est vieux.
C'est un vieil homme.

Ce garçon est jeune.
C'est un jeune garço

Cette femme est vieille.
C'est une vieille femme.

Cette fille est jeune.
C'est une jeune fille

80

Dans ce village, il y a une église, une école et des maisons.

Valentine met des vêtements dans la valise rouge. Elle fait sa valise.

La petite fille vient de la maison. Elle va à l'école.

Les petits garçons viennent aussi de la maison. Ils vont à l'école.

Maman met des iris violets et des tulipes jaunes dans le vase vert.

Vincent verse le vin rouge dans le verre du vieil homme.

Valérie cueille des violettes dans l'herbe verte.

La vache donne du lait.

ui ay ey oy uy

Yves   Ursule   Xavier

un ustensile de cuisine.   des ustensiles de cuisine.

un œil   des yeux

un wagon   un zoo   un zébu   un zèbre

Ursule a huit ustensiles de cuisine.

Xavier compte les wagons du train :
un, deux, trois, quatre, cinq.

Au zoo, Yves ouvre ses grands
yeux bleus. Il regarde le zèbre
et le zébu.

Qui donne le lait ?
_ .. .. donne .. ....

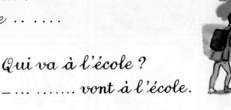

Qui va à l'école ?
_ ... . vont à l'école.

Qu'y a-t-il dans le village ?
_ Dans le village, il y a... ......,
... ., et ... .

Que verse Vincent dans le verre ?
_ Vincent verse .. ....dans.. ......

Que cueille Valérie ?
_ Valérie cueille des ·········

Que fait Valentine ?
_ Valentine fait .. ..

Que fait Yves ?
_ Yves ....le .....et le ....

Que compte Xavier ?
_ Xavier compte ... .

Où va la petite fille ?
_ La petite fille va à l'.....

De quelle couleur sont les tulipes et les iris?
_ Les tulipes sont ......et ......
_ Les iris sont ....

83

Les cerises

1
Un, deux, trois,
Je vais dans le bois.

2
Quatre, cinq, six,
Cueillir des cerises.

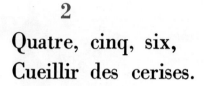

3
Sept, huit, neuf,
Dans mon panier neuf.

4
Dix, onze, douze,
Elles sont là toutes rouges.

Frère Jacques

Frè-re Jac-ques, Frè-re Jac-ques, dor-mez-vous? dor-mez-vous? Son-nez les Ma-

ti-nes, Son-nez les Ma-ti-nes, Din din don! Din din don!

Frère Jacques,   Sonnez les matines,
Frère Jacques,   Sonnez les matines,
Dormez-vous?   Din, din, don!
Dormez-vous?   Din, din, don!

Meunier, tu dors

Meu-nier, tu dors; ton mou-lin va trop vi-te, Meu-nier, tu dors; ton mou-lin va trop for

Meunier, tu dors;
Ton moulin va trop vite.
Meunier, tu dors;
Ton moulin va trop fort.

Les petits oiseaux qui sont dans l'air,
Volent, volent, volent, volent, volent, volent.
Les petits oiseaux qui sont dans l'air,
Volent aussi bien que les gros.

    Les gros, les petits
    Volent bien aussi.
    Les petits, les gros
    Volent comme il faut.

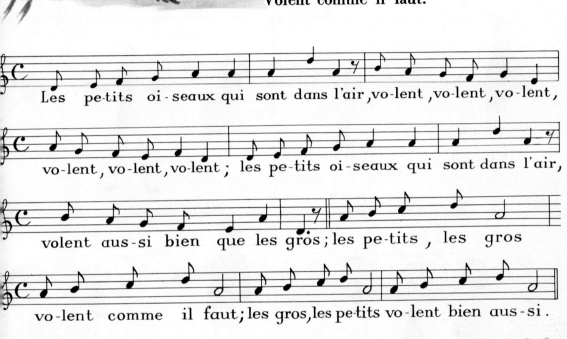

Les pe-tits oi-seaux qui sont dans l'air, vo-lent, vo-lent, vo-lent,
vo-lent, vo-lent, vo-lent ; les pe-tits oi-seaux qui sont dans l'air,
volent aus-si bien que les gros ; les pe-tits , les gros
vo-lent comme il faut ; les gros, les pe-tits vo-lent bien aus-si.

es petits poissons qui sont dans l'eau
ngent, nagent, nagent, nagent, nagent, nagent.
es petits poissons qui sont dans l'eau
ngent aussi bien que les gros.

    Les gros, les petits
    Nagent bien aussi
    Les petits, les gros
    Nagent comme il faut.

j'**ai** un chien

je **suis** dans le jardin

tu **as** un chien

 tu **es** dans le jardin

 il **a** un chien

il **est** dans le jardin

elle **a** un chien

 elle **est** dans le jardin

 nous **avons** un chien

nous **sommes** dans le jardin

vous **avez** un chien

vous **êtes** dans le jardin

 ils **ont** un chien

ils **sont** dans le jardin

elles **ont** un chien

elles **sont** dans le jardin

verbe avoir   *verbe être*

89

je danse	je choisis un gâteau
tu danses	tu choisis un gâteau
il danse	il choisit un gâteau
elle danse	elle choisit un gâteau
nous dans**ons**	nous chois**issons** un gâteau
vous dans**ez**	vous chois**issez** un gâteau
ils dans**ent**	ils chois**issent** un gâteau
elles dans**ent**	elles chois**issent** un gâteau

verbe **danser**   *verbe* **choisir**

acheter

j'achète   nous achetons
tu achètes   vous achetez
il
elle } achète   ils
elles } achètent | Il achète
une glace.

attacher

j'attache   nous attachons
tu attaches   vous attachez
il
elle } attache   ils
elles } attachent | Elle attache
l'âne.

chanter

je chante   nous chantons
tu chantes   vous chantez
Elle chante
les notes. | il
elle } chante   ils
elles } chantent

couper

je coupe   nous coupons
tu coupes   vous coupez
Elle coupe
le gâteau. | il
elle } coupe   ils
elles } coupent

compter

e compte   nous comptons
u comptes   vous comptez
} compte   ils
elles } comptent | Il compte
les fruits.

dessiner

je dessine   nous dessinons
tu dessines   vous dessinez
il
elle } dessine   ils
elles } dessinent | Elle dessine
une étoile.

donner

je donne   nous donnons
tu donnes   vous donnez
Elle donne une
fleur à sa mère. | il
elle } donne   ils
elles } donnent

écouter

j'écoute   nous écoutons
tu écoutes   vous écoutez
Il écoute
la radio. | il
elle } écoute   ils
elles } écoutent

entrer

entre   nous entrons
entres   vous entrez
} entre   ils
elles } entrent | Elle entre dans
une église.

fermer

je ferme   nous fermons
tu fermes   vous fermez
il
elle } ferme   ils
elles } ferment | Il ferme
le livre.

habiller

j'habille   nous habillons
tu habilles   vous habillez
Elle habille
le bébé. | il
elle } habille   ils
elles } habillent

jouer

je joue   nous jouons
tu joues   vous jouez
Ils jouent
à la balle. | il
elle } joue   ils
elles } jouent

laver

je lave   nous lavons
tu laves   vous lavez
il
elle } lave   ils
elles } lavent | Elle lave
le mouchoir.

lécher

je lèche   nous léchons
tu lèches   vous léchez
il
elle } lèche   ils
elles } lèchent | Il lèche
la glace.

manger

je mange   nous mangeons
tu manges   vous mangez
Elle mange
un gâteau. | il
elle } mange   ils
elles } mangent

monter

je monte   nous montons
tu montes   vous montez
Ils montent
l'escalier. | il
elle } monte   ils
elles } montent

montrer

je montre	nous montrons
tu montres	vous montrez
il ⎱ montre	ils ⎱ montrent
elle ⎰	elles ⎰

Il montre
la girafe.

marcher

je marche	nous marchons
tu marches	vous marchez
il ⎱ marche	ils ⎱ marche
elle ⎰	elles ⎰

Elle marche
dans la rue.

nager

je nage	nous nageons
tu nages	vous nagez
il ⎱ nage	ils ⎱ nagent
elle ⎰	elles ⎰

Il nage
dans la mer.

parler

je parle	nous parlons
tu parles	vous parlez
il ⎱ parle	ils ⎱ parlent
elle ⎰	elles ⎰

Il parl
frança

peser

je pèse	nous pesons
tu pèses	vous pesez
il ⎱ pèse	ils ⎱ pèsent
elle ⎰	elles ⎰

Il pèse
la boîte.

porter

je porte	nous portons
tu portes	vous portez
il ⎱ porte	ils ⎱ portent
elle ⎰	elles ⎰

Il porte
les pains

pleurer

je pleure	nous pleurons
tu pleures	vous pleurez
il ⎱ pleure	ils ⎱ pleurent
elle ⎰	elles ⎰

Il pleure.

pousser

je pousse	nous poussons
tu pousses	vous poussez
il ⎱ pousse	ils ⎱ poussent
elle ⎰	elles ⎰

Il pousse
le bateau.

regarder

je regarde	nous regardons
tu regardes	vous regardez
il ⎱ regarde	ils ⎱ regardent
elle ⎰	elles ⎰

Ils regardent
la télévision.

rouler

je roule	nous roulons
tu roules	vous roulez
il ⎱ roule	ils ⎱ roulent
elle ⎰	elles ⎰

Il roule
à bicyclette.

sonner

je sonne	nous sonnons
tu sonnes	vous sonnez
il ⎱ sonne	ils ⎱ sonnent
elle ⎰	elles ⎰

Il sonne
la cloche.

sauter

je saute	nous sautons
tu sautes	vous sautez
il ⎱ saute	ils ⎱ sautent
elle ⎰	elles ⎰

Il saute.

tourner

je tourne	nous tournons
tu tournes	vous tournez
il ⎱ tourne	ils ⎱ tournent
elle ⎰	elles ⎰

Le disque
tourne.

tomber

je tombe	nous tombon
tu tombes	vous tombez
il ⎱ tombe	ils ⎱ tomber
elle ⎰	elles ⎰

Elle tombe
dans l'escalier.

voler

je vole	nous volons
tu voles	vous volez
il ⎱ vole	ils ⎱ volent
elle ⎰	elles ⎰

L'avion vole.

verser

je verse	nous versons
tu verses	vous versez
il ⎱ verse	ils ⎱ versent
elle ⎰	elles ⎰

Elle verse
le lait.

Elle va à l'école.

aller

je vais	nous **allons**
tu vas	vous allez
il elle } va	ils elles } **vont**

Elle boit
un verre d'eau.

boire

je bois	nous buvons
tu bois	vous buvez
il elle } boit	ils elles } boivent

cueillir

je cueille
tu cueilles
il
elle } cueille
nous cueill**ons**
vous cueill**ez**
ils
elles } cueill**ent**

Elle cueille
des fleurs.

courir

je cours
tu cours
il
elle } court
nous courons
vous courez
ils
elles } cour**ent**

Il court.

Elle descend
l'escalier.

descendre

je descends
tu descends
il
elle } descend
nous descend**ons**
vous descend**ez**
ils
elles } descend**ent**

Il dort
dans le lit.

dormir

je dors
tu dors
il
elle } dort
nous dormons
vous dormez
ils
elles } dorment

dire

e dis
u dis
lle } dit
ous disons
ous dites
s
les } disent

Le bébé dit
" Maman. "

écrire

j'écris
tu écris
il
elle } écrit
nous écrivons
vous écrivez
ils
elles } écrivent

Il écrit
dans le cahier.

Elle fait
un bouquet.

faire

je fais
tu fais
il
elle } fait
nous fais**ons**
vous faites
ils
elles } font

Elle lit
un livre.

lire

je lis
tu lis
il
elle } lit
nous lisons
vous lis**ez**
ils
elles } lisent

Elle met la boîte
sur la table.

mettre

je mets
tu mets
il
elle } met
nous mettons
vous mettez
ils
elles } mettent

prendre

je prends
tu prends
il
elle } prend
nous prenons
vous prenez
ils
elles } prennent

Elle prend
un bonbon.

ouvrir

j'ouvre
tu ouvres
il
elle } ouvre
nous ouvrons
vous ouvrez
ils
elles } ouvrent

Elle ouvre
la boîte.

Elle rit.

rire

je ris
tu ris
il
elle } rit
nous rions
vous riez
ils
elles } rient

Elle tient une
poupée.

tenir

je tiens
tu tiens
il
elle } tient
nous tenons
vous tenez
ils
elles } tiennent

sortir

je sors
tu sors
il
elle } sort
nous sortons
vous sortez
ils
elles } sortent

Il sort de
la maison.

voir

je vois
tu vois
il
elle } voit
nous voyons
vous voyez
ils
elles } voient

Il voit l'oiseau.

Elle vient
du jardin.

venir

je viens
tu viens
il
elle } vient
nous venons
vous venez
ils
elles } viennent

Voici un grand jardin. Dans ce jardin, il y a des arbres verts et des fleurs : des roses, des tulipes, des iris, des violettes.

Une petite fille, Lise, cueille des fleurs. Elle fait un beau bouquet pour sa maman.

Deux garçons, Jean et Tony jouent à la balle dans l'herbe verte.

« Ah! dit Lise, une grenouille ». Les garçons courent voir. La petite grenouille verte saute. Les enfants rient.

Voilà un beau papillon jaune et bleu. Il vole de fleur en fleur, puis il monte haut, très haut. Les enfants regardent aussi les hirondelles noires et blanches; puis, ils rentrent à la maison.

95

Qui est ce joli petit chat blanc? C'est Minet. Que fait-il? Il pousse la balle rouge de Tony : elle roule sur le tapis. Minet court après la balle. Où est-elle? Elle est sous le fauteuil.

Minet monte sur une chaise. Sur la table, il voit un poisson rouge. Le poisson nage dans l'eau.

« Ouah! Ouah! » Voilà Azor, le gros chien brun de la maison. Minet fait « miaou, miaou ». Il saute de sa chaise. Il joue avec la queue du chien.

Maintenant, Minet boit son lait avec sa petite langue rose.

Où est le petit chat blanc? Il est sur le divan. Il ferme ses yeux verts. Il fait « ronron ». Il dort.

Imprimé en France par MAME — Tours
Dépôt légal n° 6458-5-83 — Collection n° 08 — Édition n° 15
✣ 15/0094/1